Matemagia

**Ilustraciones de
Jeff Sinclair**

Editorial Juegos & Co.

*Este libro está dedicado a mis esposa Gerri y a
mi hija Katie, por la magia que llevan a mi vida.*

Colección dirigida por Jaime Poniachik y Daniel Samoilovich
Edición a cargo de Diego Uribe
Traducción de Julia E. Escars

© 1991 *by* Raymond Blum

Ilustraciones © 1991 *by* Jeff Sinclair

Edición original en inglés publicada por Sterling Publishing Company,
Inc., con el título *Mathemagic*

© 1998 *by* Juegos & Co.
Corrientes 1312, 8º piso
1043 Buenos Aires, Argentina
Fax: +54 1 476 3829

I.S.B.N.: 950-765-067-9
Queda hecho el depósito que marca la ley 11.723.

I. Rosgal S.A. - Montevideo - Uruguay

A LOS LECTORES,
ANTES DE COMENZAR

No necesitas ser un genio matemático para realizar estos trucos, pero al hacerlos delante de tus amigos y familiares, ¡realmente parecerás un genio!

He aquí lo que tienes que saber para disfrutar plenamente de este libro:

1. Los trucos de cada capítulo están ordenados por dificultad. Elige los que te resulten accesibles; luego avanza hacia los más difíciles.

2. Antes de realizar un truco lee las instrucciones varias veces, hasta estar seguro de que lo entiendes.

3. Primero practica solo. Cuando lo hayas realizado correctamente dos o tres veces, estás listo para hacerlo frente a tus amigos.

4. No te preocupes si te equivocas. Siempre puedes echarle la culpa a los malos espíritus. Di una palabra mágica para ahuyentarlos y vuelve a repetir el truco, o intenta uno diferente.

5. Haz cada truco lentamente. Si te tomas tu tiempo, no cometerás errores por falta de atención y el truco saldrá sin esfuerzo.

6. Los magos nunca revelan sus secretos. Cuando alguien te pregunte cómo funciona un truco, simplemente responde: "¡Es mágico!"

7. Nunca repitas un truco para la misma persona. Si la gente ve un truco por segunda vez, algunas veces pueden figurarse cómo lo hiciste.

Ahora estás listo para sorprender y asombrar al mundo. Buena suerte y, sobre todo, ¡diviértete!

INTRODUCCIÓN:
UNA NOTA A PADRES Y MAESTROS

¡Todo el mundo gusta de la magia! Es divertido verla y más divertido aún practicarla. He aquí decenas de trucos con números para niños de nueve años para arriba. Hay trucos para los más chicos y los principiantes y también para los más avanzados, incluyendo una sección "Extra para expertos" para niños mayores y maestros. Con un poco de práctica los chicos podrán sorprender y entretener a su familia y amigos o a la clase entera.

La magia numérica es fácil de aprender y realizar porque los trucos prácticamente se realizan solos. No hay prestidigitación ni se requieren habilidades especiales. No se necesita equipamiento costoso y todos los materiales necesarios pueden encontrarse en el hogar o comprarse por un precio mínimo. Los trucos tienen instrucciones paso a paso, claras y simples y son fáciles de leer y entender.

La magia numérica agrega excitación y variedad a cualquier clase de matemáticas y ayuda a aprender divirtiéndose. Los maestros de cualquier nivel podrán realizar estos trucos para sus alumnos; todos han sido probados en clase y los chicos los adoran.

1
TRAVESURAS
CON LA CALCULADORA

¡DAME 5!

LA CALCULADORA PARLANTE

CÓDIGO SECRETO

SECRETOS DE FAMILIA

LA CALCULADORA ENCANTADA

EL SORTILEGIO DE LA RESTA

¡DAME 5!

¡Con tu visión de rayos X eres capaz de ver a través de una calculadora y descubrir el número que aparece en la pantalla!

Materiales

Una calculadora

Presentación

Pide a un amigo que:

1. Escriba en la calculadora cualquier número que sea fácil de recordar sin que lo veas. (Este número debe tener menos de 8 dígitos.)

Ejemplo
365

2. Multiplique ese número por 3. $365 \times 3 = 1.095$

3. Sume 15 a ese resultado. $1.095 + 15 = 1.110$

4. Multiplique la respuesta por 2. $1.110 \times 2 = 2.220$

5. Divida ese resultado por 6. $2.220 \div 6 = 370$

6. Reste del total el número original. $370 - 365 = 5$

Finalmente, pídele que sostenga la calculadora con la parte *trasera* hacia ti. Simula que tienes el poder de ver a través de los objetos sólidos y luego anuncia el total que aparece en la pantalla. ¡Cualquiera sea el número que haya elegido tu amigo, el resultado final será siempre 5!

Variaciones

Cuando repitas este truco cambia el paso 3 y el resultado final será un número diferente.

Paso 3

Suma	3	6	9	12	15	18	21	24	27	30	→
Total final	1	2	3	4	5	6	7	8	9	10	→

LA CALCULADORA PARLANTE

Tu amiga elige dos números secretos, hace algunas operaciones matemáticas y te devuelve la calculadora. ¡Cuando la acercas a tu oído, la calculadora te susurra los dos números que ella eligió!

Materiales

Una calculadora   Papel y lápiz

Presentación

Pide a una amiga que escriba en el papel un número de 1 cifra y uno de 2 cifras sin mostrártelos.

Luego, dale la calculadora y pídele que:

	Ejemplo
	6 y 82
1. Escriba en la calculadora el número de 1 cifra.	*6*
2. Multiplique ese número por 5.	$6 \times 5 = 30$
3. Sume 5 a ese resultado.	$30 + 5 = 35$
4. Multiplique la respuesta por 10.	$35 \times 10 = 350$

5. Sume 20 a ese total.	$350 + 20 = 370$
6. Multiplique el resultado por 2.	$370 \times 2 = 740$
7. Reste 8 a esa respuesta.	$740 - 8 = 732$
8. Sume al resultado el número de 2 cifras que eligió.	$732 + 82 = 814$

Finalmente, pídele que te entregue la calculadora con el resultado final. Dile que vas a activar el modo parlante de la calculadora entrando un código especial. Resta 132, aprieta =, y los dos números de tu amiga aparecerán en la pantalla.

$$
\begin{array}{r}
814 \\
- 132 \\
\hline
6\,82
\end{array}
$$

Espía los dos números cuando acerques la calculadora a tu oído. Simula que la calculadora te habla y luego anuncia los números de tu amiga.

Una excepción

Cuando restas 132 y obtienes sólo dos dígitos, es porque el número de 1 cifra elegido es el 0.

Ejemplo
0 y 27

$$
\begin{array}{r}
159 \\
- 132 \\
\hline
27 = 0\,27
\end{array}
$$

CÓDIGO SECRETO

Tu amigo piensa en una fecha importante en su vida y luego hace algunas operaciones en una calculadora. ¡Cuando termina, tú ingresas un código secreto mágico y su fecha aparece de repente en la pantalla!

Materiales

Una calculadora   Papel y lápiz

Preparación

Escribe este cuadro con los meses en un papel:

1 – Enero	4 – Abril	7 – Julio	10 – Octubre
2 – Febrero	5 – Mayo	8 – Agosto	11 – Noviembre
3 – Marzo	6 – Junio	9 – Setiembre	12 – Diciembre

Presentación

Pide a un amigo que piense en una fecha importante en su vida: su cumpleaños, por ejemplo, o su feriado favorito.

Luego, dale la calculadora y pídele que:

1. Escriba en la calculadora el número del mes que eligió según el cuadro, sin mostrártelo. (Septiembre = 9)	*Ejemplo* **Septiembre 10** **9**
2. Multiplique ese número por 5.	$9 \times 5 = 45$
3. Sume 6 a ese resultado.	$45 + 6 = 51$
4. Multiplique la respuesta por 4.	$51 \times 4 = 204$
5. Sume 9 a ese total.	$204 + 9 = 213$
6. Multiplique el resultado por 5.	$213 \times 5 = 1.065$
7. Sume el número del día.	$1.065 + 10 = 1.075$
8. Sume 700 a ese total.	$1.075 + 700 = 1.775$

Finalmente, pídele que te entregue la calculadora con el resultado. Ingresa el código secreto (resta 865) y la fecha que él pensó aparecerá por arte de magia. El primer dígito es el número del mes y los dos últimos, el número del día.

$$\begin{array}{r} 1.775 \\ - 865 \\ \hline \underline{9\,10} \\ \uparrow\ \uparrow \end{array}$$

Septiembre 10

Una excepción

Si al restar 865 obtienes un número de cuatro cifras, las dos primeras corresponden al número del mes.

Ejemplos $1031 = \underline{10}\,\underline{31} = $ **Octubre 31**

$1205 = \underline{12}\,\underline{05} = $ **Diciembre 5**

MONEDITAS

¡Después de que tu amigo haga unas pocas operaciones en la calculadora, estarás en condiciones de descubrir su número favorito y cuántos centavos tiene en su bolsillo!

Materiales

Una calculadora

Presentación

Ejemplo
Número favorito 25
Moneditas 47 centavos

Pide a tu amigo que:

1. Escriba en la calculadora su número favorito. (Debe tener 5 cifras o menos.)

25

2. Multiplique ese número por 2.

$25 \times 2 = 50$

3. Sume 5 a ese resultado.

$50 + 5 = 55$

4. Multiplique la respuesta por 50.

$55 \times 50 = 2.750$

5. Sume los centavos que tiene en el bolsillo. (Esta cantidad debe ser menor que 1 $).

$2.750 + 47 = 2.797$

6. Multiplique el resultado por 4.

$2.797 \times 4 = 11.188$

7. Reste 1.000 a esa respuesta.

$11.188 - 1.000 = 10.188$

Luego, pídele la calculadora con el resultado final. ¡Divide el total por 400 y por arte de magia aparecerán el número preferido y los centavos que tiene tu amigo!

$$10.188 \div 400 = \underline{25,47}$$

Número ↑ ↑ *Moneditas*
favorito   *en el bolsillo*

Excepciones

Si divides por 400 y obtienes sólo un dígito después de la coma, agrega un 0 para tener los centavos.

Ejemplo: 311.040 ÷ 400 = 777,6 = <u>777,60</u>

Moneditas: 60 centavos

Si divides por 400 y no hay números después de la coma, tu amigo no tiene moneditas.

Ejemplo: 2.800 ÷ 400 = 7, = 7,00

Moneditas: 0 centavos.

LA CALCULADORA ENCANTADA

Una fuerza sobrenatural te ayuda a descubrir el año en que ha nacido tu amigo. ¡De pronto, misteriosamente, el año aparece en la pantalla de la calculadora!

Materiales

Una calculadora   Papel y lápiz

Presentación

Ejemplo
Nació en 1980

Pide a tu amigo que:

Escriba cualquier número de 4 cifras en el papel sin que tú lo veas. Dile que todas las cifras deben ser diferentes.

2796

2. Reacomode las cuatro cifras en cualquier orden y escriba este nuevo número bajo el anterior.

9267

3. Reste los dos números en la calculadora, poniendo primero el número más grande.

$$9267$$
$$- 2796$$
$$\overline{6471}$$

4. Sume entre sí las cifras del resultado.

$$6 + 4 + 7 + 1 = 18$$

Si esta suma tiene más de una cifra, dile que vuelva a sumarlas hasta tener sólo un dígito.

$$18 \rightarrow 1 + 8 = 9$$

5. Sume 25 a ese dígito.

$$9 + 25 = 34$$

6. Sume las últimas dos cifras del año en que nació a ese resultado

$$34 + 80 = 114$$

Finalmente, pídele la calculadora con el resultado final. Anuncia que vas a invocar la ayuda de los espíritus ingresando un código secreto en la calculadora. Simula hacer unos pases mágicos y suma 1866 al total. ¡Cuando oprimas el signo igual, el año aparecerá en la pantalla!

$$114 + 1866 = ¡¡¡1980!!!$$

Una excepción

Para los nacidos en el 2000 o después, habrá que sumar 1966.

EL SORTILEGIO DE LA RESTA

Invita a tu amiga a hacer una resta en la calculadora. ¡Después de que ella te diga sólo un dígito de la respuesta, tú podrás revelar la respuesta completa!

Materiales

Una calculadora   Papel y lápiz

Presentación   *Ejemplo*

Pide a tu amiga que:

1. Escriba cualquier número de 3 cifras en un papel sin que tú lo veas. Aclara que las cifras deben ser diferentes.   *427*

2. Invierta ese número y lo anote debajo del primero.   *724*

3. Reste los dos números en la calculadora, poniendo el más grande primero.

$$\begin{array}{r} 724 \\ -\ 427 \\ \hline 297 \end{array}$$

Finalmente, pídele que te diga la primera o la última cifra del resultado. ¡Ahora puedes decir la respuesta completa!

Cómo hacerlo

Estas son las posibles respuestas cuando se restan dos números de 3 cifras de la manera descripta anteriormente:

99   **198**   **297**   **396**   **495**   **594**   **693**   **792**   **891**
(099)

Nota que el dígito del centro es siempre 9 y que la suma del primero y el último es 9. Restando de 9 el número que tu amiga haya dicho, se obtiene el que falta.

Ejemplo

Ella te dice que el primer dígito es 2.

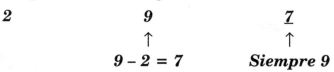

2		9		7
		↑		↑
		Siempre 9		$9 - 2 = 7$

o,

ella te dice que el último dígito es 7.

2		9		7
		↑		↑
		$9 - 2 = 7$		Siempre 9

Una excepción

Si tu amiga dice que el primer dígito o el último es 9, la respuesta será 99.

2
CARTAS EMBRUJADAS

INTERCAMBIO

ONCE EN FILA

LA BOLA DE CRISTAL

ABRACADABRA

EL TRUCO
DE LOS CUATRO ASES

FUERZA MISTERIOSA

ADIVINADOR DE BOLSILLO

INTERCAMBIO

Un mazo de cartas se ha dividido en dos montones. Tu amigo saca en secreto una carta de cada montón y la pone en el otro. ¡Después de mezclar cada montón, tú puedes encontrar las dos cartas elegidas!

Materiales

Un mazo de cartas francesas sin comodines (Jokers).

Preparación

Arma una pila con todas las cartas pares (2, 4, 6, 8, 10, Q), otra con las impares (1, 3, 5, 7, 9, J, K), y mezcla bien cada pila.

Presentación

1. Pide a tu amigo que mezcle cada montón por separado sin mirar las cartas, y que luego extienda los dos montones con las cartas boca abajo sobre una mesa

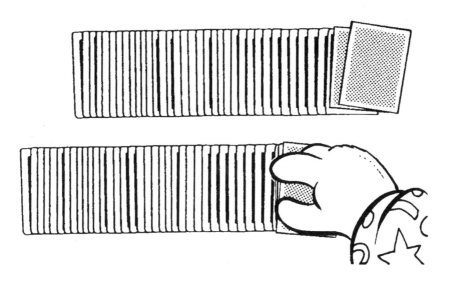

2. Dile que elija una carta del grupo de arriba, que la mire sin mostrártela y que la coloque en el grupo de abajo. Luego, que elija una carta diferente del grupo de abajo. La mire y la ponga en el grupo de arriba.

3. Ahora, pídele que mezcle cada montón por separado, que coloque uno sobre otro y te dé el mazo. ¡En pocos segundos podrás descubrir las dos cartas elegidas!

Cómo hacerlo

La carta impar elegida estará rodeada de cartas pares, y la carta par elegida estará rodeada de cartas impares.

Ejemplo: Se eligen ⟨4♥⟩ *y* ⟨K⟩.

cartas impares ⟨4♥⟩ *cartas impares* *cartas pares* ⟨K⟩ *cartas pares*

ONCE EN FILA

Sobre la mesa hay alineadas once cartas boca abajo. Te vas de la habitación, tu amigo mueve algunas cartas y, cuando regresas, puedes decir cuántas cartas fueron movidas aunque la fila parezca estar exactamente igual que al irte.

Materiales

Un mazo de cartas.

Preparación

Elige once cartas del mazo: un comodín (Joker) y otras diez cartas del As al 10 (no importa de qué palo). Ponlas en orden y boca abajo sobre la mesa, formando una línea como se ve aquí:

Izquierda | Joker | A | 2 | 3 | 4 | 5 | 6 | 7 | 8 | 9 | 10 | Derecha

(Todas las cartas deben estar boca abajo)

Presentación

1. Dile a tu amigo que, cuando te vayas, mueva algunas cartas, de una en una, desde el extremo izquierdo hasta el extremo derecho de la fila. Puede mover cualquier cantidad de cartas (ninguna, o las diez, si lo desea).

2. Antes de irte, mueve algunas cartas para mostrarle cómo hacerlo. Eso te servirá para obtener tu *Número Clave*.

Ejemplo
Tú mueves 3 cartas
(Ese es tu Número Clave - ¡Recuérdalo!)

Izquierda | Joker | A | 2 | 3 | 4 | 5 | 6 | 7 | 8 | 9 | 10 | Joker | A | 2 | Derecha

3. Sal de la habitación para que tu amigo mueva algunas cartas.

Ejemplo
El mueve 5 cartas

| 3 | 4 | 5 | 6 | 7 | 8 | 9 | 10 | Joker | A | 2 | 3 | 4 | 5 | 6 | 7 |

Izquierda   **Derecha**

4. Al regresar, haz algunos pases mágicos y simula que las cartas te están hablando y que ellas te revelarán cuántas han sido movidas. Recuerda tu *Número Clave* y cuenta esa cantidad *a partir del extremo derecho* de la fila. Da vuelta la carta, y el número que ella tenga será igual a la cantidad de cartas que movió tu amigo. (El Comodín es 0 y el As es 1.)

Número Clave = 3   →   **3 2 1**

| 8 | 9 | 10 | Joker | A | 2 | 3 | 4 | 5 | 6 | 7 |

Izquierda   ↑   **Derecha**
Da vuelta esta carta.
Es un 5, por lo que tu amigo
movió 5 cartas.

Variaciones
Usa un *Número Clave* diferente cada vez que hagas el truco.

LA BOLA DE CRISTAL

¡Tu calculadora se convierte en una mágica bola de cristal al descubrir un número de dos cifras oculto en un mazo de cartas!

Materiales

Un mazo de cartas   Una calculadora

Preparación

Quita del mazo los 10 y las figuras, para que queden todas las cartas del As al 9.

Presentación

Pide a tu amigo que mezcle el mazo, saque dos cartas sin mirarlas y las ponga boca abajo sobre la mesa. El resto del mazo puede quedar a un costado.

Dile que mire en secreto una de las dos cartas y que memorice el número (el As vale 1), sin importar el palo. Tú miras la otra carta y la vuelves a poner boca abajo unos centímetros a la derecha de la que miró tu amigo. Explica que las dos cartas representan un número de dos cifras y que la calculadora será la bola de cristal que lo descubrirá.

La carta de tu amigo: 9   *Tu carta: 3*

Entrega la calculadora a tu amigo y pídele que:

1. Ingrese el número de su carta.   *9*

2. Multiplique ese número por 2. $9 \times 2 = 18$

3. Sume 2 a ese resultado. $18 + 2 = 20$

4. Multiplique por 5 ese total. $20 \times 5 = 100$

5. Reste el Número Mágico que tú le dirás.
El Número Mágico es 10 menos
el número de tu carta ($10 - 3 = 7$) $100 - 7 = 93$

Finalmente, pide a tu amigo que dé vuelta las dos cartas. El número de dos dígitos formado por ellas será igual al que aparece en la calculadora "bola de cristal".

ABRACADABRA

Tu amigo elige mentalmente una carta de un montón de 21 cartas. La carta elegida aparecerá cuando tú termines de deletrear la palabra "ABRACADABRA".

Materiales

Un mazo de cartas

Presentación

1. Mezcla el mazo, separa 21 cartas y deja el resto a un costado.

2. Separa las cartas en tres montones de siete cartas cada uno poniéndolas boca abajo sobre la mesa. Repártelas siempre de

izquierda a derecha, como si estuvieras dando a tres jugadores. En ningún momento tendrás necesidad de ver los valores de las cartas.

3. Pide a tu amigo que elija uno de los montones. Toma el montón elegido, despliégalo para que él pueda ver las cartas y dile que elija una mentalmente.

4. Coloca el montón elegido en medio de los otros dos (tendrás otra vez un solo montón de 21 cartas)

5. Una vez más separa las cartas en tres montones de siete, poniéndolas boca abajo. Muestra a tu amigo cada uno de los montones y pregúntale en cuál de ellos está la carta elegida. Nuevamente pon el montón elegido entre los otros dos.

6. Repite el paso 5 una vez más.

7. Dile a tu amigo que vas a decir la palabra mágica "ABRACADABRA" para hacer aparecer su carta. Deletrea lentamente "ABRACADABRA", dando vuelta una carta por cada letra. ¡La última carta que des vuelta, será la que él eligió!

EL TRUCO
DE LOS CUATRO ASES

Se sacan del mazo tres cartas al azar y todas ellas son Ases. Luego, los "espíritus de los números" harán que el cuarto As aparezca misteriosamente.

Materiales

Un mazo de cartas

Preparación

Pon un 8 de manera que, de arriba hacia abajo, sea la octava carta y pon los cuatro Ases en las posiciones 9, 10, 11 y 12.

← Siete cartas cualesquiera
← Un 8
← Los cuatro Ases
← El resto del mazo

Presentación

1. Pide a tu amigo que diga un número entre 10 y 20. (Cuidado: el 10 funcionará, pero el 20 no.)

Ejemplo
13

2. Coloca esa cantidad de cartas en una pila junto al mazo, de una en una.

 ← *13 cartas*

3. Dile a tu amigo que sume las dos cifras del número dicho.

$$13 \rightarrow 1 + 3 = 4$$

4. Devuelve esa cantidad de cartas de la pila al mazo, de una en una.

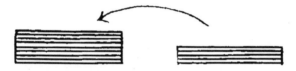

Devuelve
← *4 cartas*

5. La carta que quedó más arriba en el montón pequeño es un As. Dalo vuelta y muéstraselo a tu amigo.

6. Deja el As a un costado y vuelve a poner la pila pequeña sobre el mazo.

7. Repite los seis pasos con *dos números diferentes* entre 10 y 20 para retirar dos Ases más.

Finalmente, haz algunos pases mágicos para que los "espíritus de los números" te den una señal que te ayude a encontrar el último As. Simula que te ordenaron dar vuelta la primera carta del mazo. Esa carta será un 8. Cuenta ocho cartas más y la octava carta será el cuarto As.

FUERZA MISTERIOSA

En secreto, tú predices cuál será la carta elegida, y los "espíritus de los números", misteriosamente, obligan a tu amigo a elegir esa carta.

Materiales

Un mazo completo de 52 cartas francesas, más los dos Comodines (Jokers)

Papel y lápiz
Una calculadora, si es necesario

Presentación

1. Pide a tu amigo que mezcle las cartas tanto como quiera.

2. Cuando te devuelva el mazo, di que olvidaste sacar los Comodines. Da vuelta las cartas, saca los Comodines y espía la última carta. Esa será la "carta predicha".

3. En secreto, escribe el nombre de la "carta predicha" en un trozo de papel, dóblalo varias veces y déjalo a un costado para usarlo más tarde.

4. Di a tu amigo que un poder matemático sobrenatural lo obligará a elegir la "carta predicha".

5. Reparte las doce cartas de arriba boca abajo sobre la mesa. Pide a tu amigo que dé vuelta cuatro de ellas.

6. Pon las ocho cartas restantes en la parte de *abajo* del mazo

Ejemplo

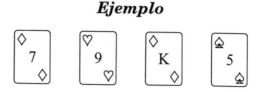

7. Dale el mazo a tu amigo e indícale que ponga cartas boca abajo debajo de cada una de las que están sobre la mesa, empezando a contar desde el número de la carta que está a la vista hasta llegar a 10. Por ejemplo, si la carta que se ve es un 6, deberá poner cuatro cartas más para llegar a 10. (Para empezar a contar, hay que tener en cuenta que las figuras valen 10 y los Ases valen 1.)

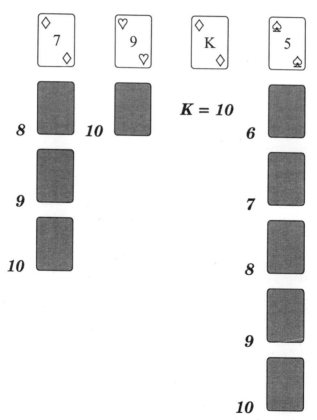

8. Pídele que deje las cartas que están boca arriba sobre la mesa y que ponga las otras en la parte de *abajo* del mazo.

9. Dile que sume los valores de las cuatro cartas:

$$(10)$$
$$7 + 9 + K + 5 = 31$$

10. Pídele que cuente esa cantidad de cartas del mazo, empezando por la que está arriba, y que dé vuelta la última (o sea, la número 31). Esa será la carta elegida por él. Finalmente, muéstrale que tu predicción coincide con la suya.

Variante

Si el mazo no tiene Comodines, espía la última carta después de que tu amigo las haya mezclado.

ADIVINADOR DE BOLSILLO

Tu amiga saca cuatro cartas del mazo y, en secreto, guarda una de ellas en su bolsillo. Tras hacer un poco de magia numérica en la calculadora, puedes decir cuál es esa carta.

Materiales

Un mazo de cartas   Papel y lápiz   Una calculadora

Presentación

1. Pide a tu amiga que escriba cualquier número de 4 cifras diferentes entre sí en un papel, sin que tú puedas verlo.

2. Dile que sume las cuatro cifras y escriba el resultado debajo del primer número:

$(8 + 7 + 5 + 6 = 26)$

3. Luego, que reste los dos números usando la calculadora.

Ejemplo
8756

– 26

8730

4. Dale el mazo y pídele que, sin que tú puedas verlas, retir cuatro cartas de palos distintos, que tengan los mismos nú meros que las cifras del resultado de la calculadora (A = 1 la K = 0).

Ejemplo

8 = 8 de Corazones
7 = 7 de Tréboles
3 = 3 de Diamantes
0 = K de Piques

5. Dile que guarde una de las cartas *que no sea una K* en s bolsillo, y que te entregue las otras tres.

Ejemplo: Ella guarda el 3 de Diamantes y te da el 8 d Corazones, el 7 de Tréboles y la K de Piques.

6. Suma mentalmente los valores de estas tres cartas.

$$8 + 7 + 0 = 15$$

Si el resultado tiene más de una cifra, vuelve a sumarlas hasta obtener un solo dígito.

$$15 \rightarrow 1 + 5 = 6$$

7. Mentalmente resta este número de 9; el resultado será el valor de la carta que está en el bolsillo.

$$9 - 6 = 3$$

Ella guardó un 3 y, como el único palo que falta entre las qu tienes es Diamantes, la carta es:

¡El 3 de Diamantes!

Una excepción

Si al hacer la resta el resultado es 0, la carta guardada es ur 9, no una K.

3
LA MEMORIA
MÁGICA

¿QUÉ TIENES EN MENTE?
¿CUÁL ES LA DIFERENCIA?
LA CIFRA PERDIDA
LA CALCULADORA HUMANA
MEMORIA DE BRUJO
PERCEPCIÓN
EXTRASENSORIAL
TELEPATÍA

¿QUÉ TIENES EN MENTE?

Un amigo elige un número de dos cifras al azar. Tú puedes leer su mente y revelar en qué número está pensando.

Materiales

10 trozos de papel   Una caja de zapatos

Presentación

1. Pide a tu amigo que diga un número de 2 cifras.

2. Anótalo en un trozo de papel, dóblalo y colócalo en la caja de zapatos. Asegúrate de que nadie vea lo que escribes.

3. Repite los pasos 1 y 2 varias veces hasta que tu amigo haya dicho unos 10 números diferentes.

4. Pídele que saque uno de los papeles de la caja y que lo abra sin que tú puedas verlo.

5. Rompe los papeles que quedaron dentro de la caja diciendo que lo haces para que sus poderosas vibraciones matemáticas no interfieran.

6. Dile a tu amigo que se concentre en el número que tiene en sus manos. Simula que estás leyendo su mente y luego revela ese número.

Cómo hacerlo

Escribe el primer número que diga tu amigo en todos los papeles. Si todos tienen el mismo número, es muy fácil saber en qué está pensando.

¿CUÁL ES LA DIFERENCIA?

Sorprenderás a tu amigo prediciendo el resultado de una resta y luego, leyendo su mente para descubrir el resultado de otra.

Materiales

Una calculadora   Papel y lápiz

Preparación

Sin que se pueda ver lo que escribes, anota tu predicción (el número 198) en un papel, dóblalo varias veces y déjalo a un costado.

Presentación

1. Pide a tu amigo que escriba cualquier número de tres cifras cuyos dígitos aparezcan en orden decreciente.

2. Luego, dile que invierta el orden de las cifras y escriba el nuevo número debajo del primero.

3. Finalmente, pídele que reste los dos números en la calculadora.

Ejemplo

765

− 567
___

198

¡El resultado será siempre 198!

Cuando abras el papel, tu predicción será exactamente ese resultado.

4. Luego, pide a tu amigo que siga las mismas instrucciones, pero ahora con un número de

cuatro cifras, también ordena-
das de mayor a menor. Dile
que no debe mostrarte el resultado.

$$3210$$
$$-\ 0123$$
$$3087$$

¡La respuesta será siempre 3087!

Pide a tu amigo que se concentre y piense sólo en el resultado que obtuvo. Simula leer su mente y anúnciale que es el 3087.

Variante

Una variante graciosa para el truco de las 3 cifras es abrir el
papel con tu predicción y mostrarlo "patas arriba".

Tu amigo pensará que te has equivocado hasta que des vuelta el papel y se lea:

LA CIFRA PERDIDA

Un amigo resuelve una resta y te dice todos los dígitos del resultado, excepto uno. En pocos segundos, podrás decir cuál es la cifra perdida.

Materiales

Papel y lápiz   Una calculadora, si es necesario

Presentación

1. Pide a tu amigo que escriba cualquier número de 4 cifras sin que tú puedas verlo.

2. Dile que sume los cuatro dígitos y escriba el resultado bajo el primer número:
$(2 + 7 + 5 + 9 = 23)$

3. Pídele que reste ambos números.

4. Dile que rodee con un círculo uno cualquiera de los dígitos *distinto de 0* del resultado.

Ejemplo

2759

– 23

2736

2⑦36

5. Pídele que lea lentamente en voz alta las otras tres cifras, en cualquier orden. En unos segundos, estarás en condiciones de descubrir cuál es el número encerrado en el círculo.

Cómo hacerlo

Suma mentalmente los dígitos leídos por tu amigo.

$$2 + 3 + 6 = 11$$

Si el resultado tiene más de una cifra, vuelve a sumarlas hasta obtener un solo dígito.

$$11 \rightarrow 1 + 1 = 2$$

Resta mentalmente ese número de 9, y sabrás cuál es la cifra perdida.

$$9 - 2 = 7$$

Una excepción

Si al sumar los tres dígitos leídos el resultado es 9, el numero encerrado en el círculo es un 9.

Ejemplo:

$$\begin{array}{r} 8962 \\ - 25 \\ \hline 8\,⑨37 \end{array}$$ $8 + 3 + 7 = 18$ $18 \rightarrow 1 + 8 = ⑨$

Variante

Este truco funcionará con cualquier cantidad de dígitos. Para probarlo, puedes pedir a tu amigo que elija el número de serie de 8 cifras de un billete, o las 7 cifras de un número de teléfono o un número de documento de identidad.

LA CALCULADORA HUMANA

Puedes sorprender a todos sumando cinco números de 3 cifras en un santiamén.

Materiales

Papel y lápiz   Una calculadora

Presentación

1. Pide a un amigo que escriba en un papel un número de 3 cifras. Esas cifras deben ser diferentes entre sí y no consecutivas.

2. Dile que escriba un segundo número debajo el primero.

3. Haz que escriba un número más. Este tercer número será tu *Número Clave*.

4. Escribe tú un cuarto número de 3 cifras que, sumado al primero, dé 999.

5. Agrega un quinto número de 3 cifras que, sumado al segundo, también dé 999.

6. Entrega a tu amigo el papel y pídele que sume los cinco números usando la calculadora, sin que tú puedas ver el Total.

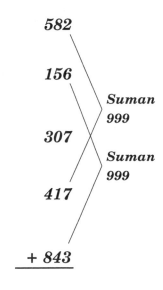

582

156

307

417

+ 843

Suman 999

Suman 999

(2.305)

Cuando te devuelva el papel, simula que estás sumando mentalmente durante un par de segundos, y luego escribe el Total.

Speech bubble (calculator problem): ¡¡¡ LA RAÍZ CUADRADA DE 2304 DIVIDIDA POR 0,16 MÁS LA RAÍZ CUADRADA DE 9 = 303 !!!

Thought bubble: ...YA LO SABÍA...

Cómo hacerlo

Lo que tienes que hacer es prestar atención al *Número Clave* (el tercer número que escribió tu amigo), ya que el total es:

$$2000$$
$$\underline{+ \text{(Número Clave} - 2)}$$

Ejemplo: el Número Clave es 307.   **307 – 2 = 305**

Total:	**2.000**
	+ 305
	2.305

Una excepción

El primer dígito del primer número o del segundo número es un 9.

38

Ejemplo

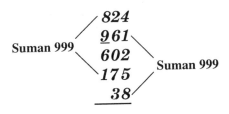

$$\text{Suman 999} \begin{cases} 824 \\ 961 \\ 602 \\ 175 \\ 38 \end{cases} \text{Suman 999}$$

En el último lugar escribe un número de 2 cifras, sin poner un cero delante (en el ejemplo, 38).

Variantes

Sumando siete números de 3 cifras, sigue el mismo procedimiento, prestando atención al cuarto número, que será el Número Clave. El Total dará

$$3000$$
$$+ \text{ (Número Clave – 3)}$$

También puedes sumar nueve números. El quinto será el Número Clave y el Total dará

$$4000$$
$$+ \text{ (Número Clave – 4)}$$

MEMORIA DE BRUJO

Todos se sorprenderán al ver que eres capaz de memorizar un número de 26 cifras.

Materiales

Papel y lápiz

Preparación

Apunta este número en un papel:

35.831.459.437.077.415.617.853.819

En otro papel, escribe lo siguiente:

——.——.——.——.——.——.——.——.——

Presentación

Entrega a un amigo el trozo de papel donde anotaste el número de 26 cifras. Dile que lo has memorizado y que se lo vas a demostrar. Muéstrale que no hay ningún número en el segundo trozo de papel, y escribe allí las 26 cifras.

Cómo hacerlo

No tienes necesidad de memorizar el número completo. Sólo debes recordar los dos primeros dígitos y luego ir sumando para obtener los 24 que faltan.

1. Escribe los dos primeros dígitos.

35

2. Para obtener el próximo dígito, súmalos mentalmente.

$3 + 5 = \underline{8}$

$35.\underline{8}$

3. Mentalmente suma las dos últimas cifras para obtener la que sigue. Si la suma te da 10

o más, escribe sólo el número
que aparece en el lugar de las
unidades.

$5 + 8 = 13$ **35.83**

4. Sigue sumando los dos últimos dígitos para obtener el siguiente hasta que hayas escrito las 26 cifras.

$8 + 3 = 11$ **35.831**
$3 + 1 = 4$ **35.831.4**
$1 + 4 = 5$ **35.831.45**
$4 + 5 = 9$ **35.831.459**
$5 + 9 = 14$ **35.831.459.4**

y así hasta que obtengas:

35.831.459.437.077.415.617.853.819

Variantes

Prepara el truco con números de más de 26 cifras y dejarás a todos realmente impresionados.

15,617,853,819,099,875,279,651,673,033,695

41

PERCEPCIÓN EXTRASENSORIAL

Tienes un mazo de 30 tarjetas con números diferentes. Al mostrar a tu amigo la cara en blanco de alguna de ellas, él puede decirte si el número que está en la otra cara es par o impar.

Materiales

30 tarjetas o fichas blancas   Lápiz

Preparación

Escribe en cada tarjeta un número diferente entre 1 y 30.

Presentación

Invita a un amigo a sentarse a la mesa frente a ti. Dile que tienes razones para creer que él posee poderes psíquicos y que vas a probarlo. Mezcla las tarjetas y luego coloca sobre la mesa una par y otra impar de modo que los números queden a la vista.

Sostén el resto de las tarjetas en tu mano, en forma de abanico, y cuidando que tu amigo no pueda ver ninguno de los números. Elige una tarjeta por vez y, mostrándole *la cara en blanco*, pregúntale si el número que está en la otra cara es par o impar. (Simula que estás eligiendo tarjetas al azar de diferentes sitios mientras, en realidad, eliges primero los 14 números pares.)

Si tu amigo dice "Par", coloca la tarjeta boca abajo en la pila de la izquierda. Si dice "Impar", pon la tarjeta *boca abajo* sobre la pila de la derecha.

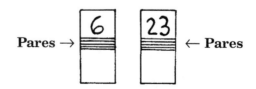

Cuando hayas puesto sobre la mesa las catorce tarjetas pares, la vuelta una y colócala boca arriba sobre la pila de la derecha. Toma una de las tarjetas impares que tienes en la mano (todas erán impares) y ponla boca arriba sobre la pila de la izquierda.

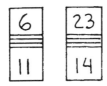

Elige como antes una tarjeta por vez pero ahora, si tu amigo lice "Impar", colócala boca abajo sobre la pila de la izquierda. Si lice "Par", ponla boca abajo sobre la pila de la derecha.

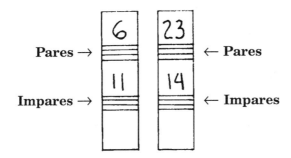

Al llegar a este punto, la pila izquierda es correcta y la dere-ha, incorrecta. Recoge las tarjetas de la izquierda y entrégase-as a tu amigo para que vea que ha acertado.

Mientras él mira esas tarjetas, recoge las de la derecha y, se-retamente, cambia de lugar la tarjeta impar cuyo número está la vista (en el ejemplo, el 23) poniéndola encima de toda la pila. Ista movida hará que esta pila quede en el orden correcto.

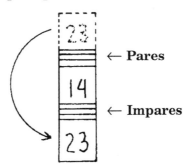

Finalmente, muestra a tu amigo que la pila de la derecha tam bién está correcta. No podrá creer que lo hizo todo bien y acabar por pensar que realmente tiene percepción extrasensorial.

Variante

Puedes usar un mazo de naipes en vez de tarjetas.

TELEPATIA

Tus poderes telepáticos son asombrosos. Aquí descubrirás los
más profundos pensamientos matemáticos de alguien y luego
verás el futuro y podrás adivinar qué carta será elegida.

Materiales

Un mazo de naipes   Papel y lápiz

Preparación

Coloca tu carta favorita debajo del mazo (por ejemplo, el 10
de Corazones).

En un papel en blanco, escribe los números 1, 2, y 3 en una
columna.

Presentación

1. Muestra a tu amigo que no hay ninguna respuesta escrita
en el papel. Luego, dile que piense en una palabra que tenga que

ver con la matemática (en el ejemplo, "Fracción"). Simula que estás leyendo su mente y escribe el nombre de tu carta favorita (10 de Corazones) *junto al número 3* del papel. No dejes que tu amigo vea lo que escribes, para que crea que estás anotando la palabra que él pensó junto al número 1. Pregúntale cuál es la palabra pensada. Cuando te la diga, sonríe, mira el papel y responde "¡Magnífico!".

2. Ahora, pídele que piense en un número de 3 cifras (en el ejemplo, 907). Haz como que estás leyendo su mente y escribe la palabra del paso 1 (Fracción) *junto al número 1*. Pregúntale qué número pensó y, cuando te lo diga, repítelo en voz alta y exclama "¡Sensacional!".

3. Anuncia que vas a predecir cuál de las cartas del mazo será elegida. Simula estar muy concentrado y luego escribe el número de 3 cifras (907) *junto al número 2*. Dobla la hoja de papel.

```
1. Fracción

2. 907

3. 10 de ♡
```

4. Pide a tu amigo que corte el mazo en dos montones iguales. Cuando lo haga, dile que van a contar las cartas para ver si ha cortado bien. Indícale que cuente las cartas del montón que estaba arriba en el mazo mientras tú cuentas las del que estaba abajo. Toma esa pila y, sin dar vuelta las cartas, cuéntalas de una en una de modo que, al final, encima de todas quede el 10 de Corazones que habías puesto en último lugar. Coloca tu montón de cartas sobre el que contó tu amigo para completar el corte. Tu carta favorita, ahora, será la primera del mazo.

5. Para terminar, despliega el papel y muestra a tu amigo que anotaste correctamente la palabra y el número que él pensó. Pídele que lea en voz alta el nombre de la carta que predijiste y que dé vuelta la primera carta del mazo. ¡Esa será la carta!

4
BROMAS MÁGICAS

COMO HACERSE MILLONARIO
EN UN INSTANTE

CALCULADORA MANUAL

GIMNASIA MAGICA

EL 3½ DE TRÉBOLES

CUATRO CENTAVOS Y MEDIO

2 MITADES = 1 AGUJERO

¿¿ 7 × 13 = 28 ??

COMO HACERSE MILLONARIO
EN UN INSTANTE

Haz este truco a tu mamá o a tu papá, y verás cómo convertir una moneda en millones.

Materiales

2 hojas de papel   Lápiz

Preparación

Copia el modelo de *Contrato* en una hoja de papel y la *Factura* en la otra.

Presentación

Promete a tus padres que lavarás los platos de la cena cada noche durante los próximos 30 días. Para asombrarlos aún más, asegúrales que, si aceptan, nunca más tendrán que darte dinero. Cuéntales que, por lavar los platos, sólo quieres 1 centavo la primera noche, 2 centavos la segunda, 4 centavos la tercera, 8 centavos la cuarta, y así sucesivamente. Si están de acuerdo, pídeles que firmen un contrato como el que se ve aquí.

CONTRATO

Yo, _____, me comprometo a pagar a _____
Nombre de tu padre   *Tu nombre*

1 centavo por lavar los platos la primera noche, 2 centavos la segunda noche, duplicando a 4 centavos la tercera noche, duplicando a 8 centavos la cuarta noche, y así por los próximos 30 días.

_____
Firma de tu padre

Tras firmar el contrato, muéstrales la factura. ¡Antes, asegúrate de que están sentados, pues se llevarán una gran sorpresa!

FACTURA

Día	A pagar
1	$ 0,01
2	$ 0,02
3	$ 0,04
4	$ 0,08
5	$ 0,16
6	$ 0,32
7	$ 0,64
8	$ 1,28
9	$ 2,56
10	$ 5,12
11	$ 10,24
12	$ 20,48
13	$ 40,96
14	$ 81,92
15	$ 163,84
16	$ 327,68
17	$ 655,36
18	$ 1.310,72
19	$ 2.621,44
20	$ 5.242,88
21	$ 10.485,76
22	$ 20.971,52
23	$ 41.943,04
24	$ 83.886,08
25	$ 167.772,16
26	$ 335.544,32
27	$ 671.088,64
28	$ 1.342.177,28
29	$ 2.684.354,56
30	$ 5.368.709,12
TOTAL	**$ 10.737.418,23**

CALCULADORA MANUAL

Por arte de magia, sorprendes a todos transformando tus manos en una calculadora y multiplicando con tus dedos.

Materiales

Un bolígrafo

Preparación

Con el bolígrafo, dibuja estas teclas de calculadora en las palmas de tus manos:

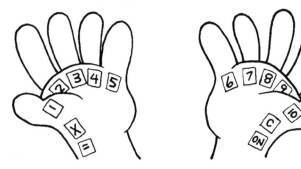

Presentación

Dile a un amigo que puede multiplicar *por 9* en tus manos de la misma manera en que lo haría con una calculadora común. Cuando "apriete" los números y "pulse" el signo =, dobla el dedo que fue multiplicado por 9. Los dedos que quedan estirados le darán la respuesta.

Ejemplo: 9 × 4 = 36

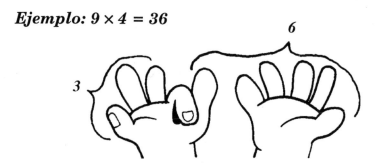

Dobla el dedo número 4

Ejemplo: 9 × 8 = 72

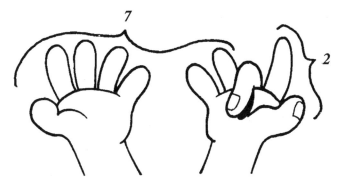

Dobla el dedo número 8

Una excepción
Ejemplo: 9 × 10 = 90

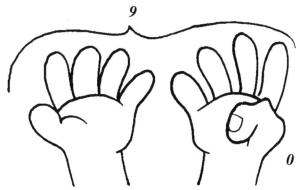

Dobla el dedo número 10

<u>9</u> dedos a la izquierda y <u>0</u> dedos a la derecha = <u>90</u>

GIMNASIA MAGICA

Un truco con los números para aprender a hacer miles de flexiones en unos pocos segundos.

Materiales

Un reloj o un cronómetro

Presentación

Anuncia que vas a hacer "entre dos y tres mil flexiones" en menos de un minuto. (¡Pero cuídate mucho de no decir "entre dos mil y tres mil flexiones"!) Pide a alguien que controle el tiempo y, cuando diga "¡Listo!", haz cinco flexiones.

¡Después de todo, 5 está entre 2 y 3.000!

EL 3½ DE TREBOLES

Una carta guardada en un sobre cerrado tiene exactamente la mitad del valor de una carta elegida al azar. ¡Y el truco funciona aunque la carta elegida sea impar!

Materiales

Un mazo de cartas con un Comodín (Joker)

Una calculadora

Un sobre

Cinta adhesiva

Preparación

Fotocopia el 3½ de Tréboles de la página anterior y luego pégala con cinta adhesiva sobre el Comodín.

Coloca el 3½ de Tréboles en el sobre y ciérralo.

Coloca el 7 de Tréboles en el mazo de modo que sea la quinta carta empezando a contar desde arriba.

Presentación

Dile a un amigo que él va a elegir al azar una carta del mazo y que, en el sobre, aparecerá una carta que valdrá exactamente la mitad que la elegida.

Ejemplo: si elige el 10 de Corazones, el 5 de Corazones aparecerá en el sobre.

Luego, pídele su número de teléfono, incluyendo el código de área o país.

	Ejemplo
	(541) 246-4468
Dale la calculadora y pídele que:	
Ingrese su número de teléfono.	*2464468*
Multiplique este número por 10.	*24644680*
Reste del resultado anterior su número de teléfono.	*22180212*
Divida el total obtenido por su número de teléfono.	*9*
Reste la cantidad de dígitos del número de teléfono (7 dígitos) del resultado anterior.	*2*
Sume la cantidad de dígitos del código de área o país (3 dígitos) a la respuesta anterior.	*5*

Anuncia una vez más que la carta del sobre valdrá exactamente la mitad que la seleccionada al azar. Pregunta a tu amigo cuál es el resultado final que obtuvo en la calculadora (siempre será 5) y dile que cuente esa cantidad de cartas del mazo, dando vuelta la quinta. Esta carta será el 7 de Tréboles.

Tu amigo pensará que has cometido un error, porque no puede haber una carta que valga la mitad de un número impar. ¡Se sorprenderá al abrir el sobre!

¡La mitad del 7 de Tréboles es el 3½ de Tréboles!

Variante

Para hacerlo más espectacular, puedes mezclar las cartas ante todos y conseguir que el 7 de Tréboles quede siempre en quinto lugar. Divide el mazo en dos pilas, levanta los extremos de ambas pilas y deja que las cartas vayan cayendo y entremezclándose, pero deja que las ocho o diez cartas superiores de la pila que estaba arriba caigan todas juntas al final. Así, el 7 de Tréboles quedará siempre en quinto lugar, no importa cuántas veces mezcles el mazo. Practica varias veces antes de hacer el truco de este modo ante tus amigos.

CUATRO CENTAVOS Y MEDIO

Anuncia a tus amigos que la cantidad de monedas que escondes en tu mano es exactamente la mitad del número que uno cualquiera de ellos elegirá al azar. ¡Pero un momento! ¿Qué pasará si elige un número impar?.

Materiales

5 monedas de 1 centavo   Una calculadora

Papel y lápiz

Preparación

Para preparar este truco necesitarás ayuda. Pide a una persona mayor que, ayudándose con dos alicates, doble varias veces una de las monedas hasta que ésta se parta por la mitad.

Esconde en una de tus manos 4 monedas y media.

Presentación

Dile a uno de tus amigos que él va a elegir un número al azar y que, al abrir tu mano, aparecerá una cantidad de monedas que será exactamente la mitad del número elegido.

1. Pídele que escriba en el papel cualquier número de 8 cifras o menos, todas diferentes.

Ejemplo
19.573

2. Dile que reordene las cifras en cualquier orden y escriba el nuevo número bajo el primero.

93.175

3. Pídele que reste los dos números usando una calculadora, ingresando primero el número más alto.

93.175
– 19.573
———
73.602

4. Dile que sume las cifras del resultado.

$$73 - 602 \rightarrow 7 + 3 + 6 + 0 + 2 = 18$$

Si el resultado tiene más de una cifra, dile que vuelva a sumarlas hasta obtener un solo dígito.

$$18 \rightarrow 1 + 8 = 9$$

¡El resultado final será siempre 9!

Tu amigo pensará que has cometido algún error, pues la mitad de 9 es 4½. ¿Cómo puede ser que tengas 4 centavos y medio? Abre la mano y muéstraselo.

2 MITADES = 1 AGUJERO

Muestra a una amiga cómo cortar un gran aro de papel para transformarlo en dos aros separados. Esto es muy fácil de hacer, pero cuando ella lo intente, obtendrá algo completamente diferente.

Materiales

Un par de tijeras

Un periódico

Cinta adhesiva

Preparación

Corta el periódico en tiras de 10 centímetros de ancho. Unelas con cinta adhesiva hasta tener dos tiras de 2 metros de largo.

Toma una de las tiras y une los extremos con cinta adhesiva formando un aro.

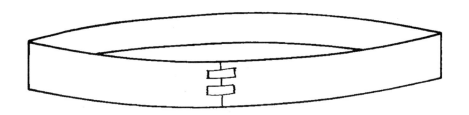

Haz lo mismo con la segunda tira, pero antes de unir los extremos da una media vuelta a uno de ellos.

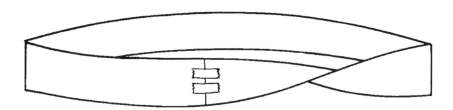

Presentación

Muestra a tu amiga qué fácil resulta cortar un aro de papel en dos aros separados. Usa el que no tiene la media vuelta. Córtalo cuidadosamente por el medio de la tira, dando toda la vuelta y tendrás dos partes separadas.

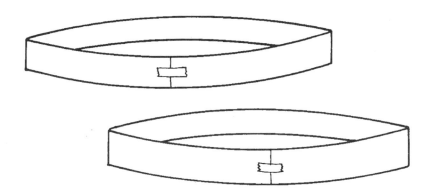

Entrega a tu amiga las tijeras y el aro al que le diste la media vuelta. Ella no notará que el papel está retorcido si pones el aro formando un pequeño montoncito sobre la mesa. Dile que lo corte al medio para obtener dos aros, tal como lo hiciste anteriormente. Por más cuidado que ponga, ella no tendrá la misma suerte: es imposible cortar este aro en dos piezas separadas. Un aro con una media vuelta tiene en realidad una sola cara, por lo tanto, se mantiene entero al cortarlo al medio. ¡Tu amiga acabará teniendo un aro gigante de 4 metros!

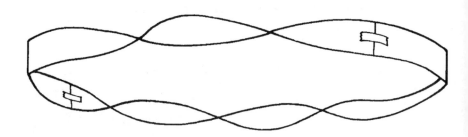

Variantes

Aquí hay varios trucos que puedes probar. Usa tiras de papel más cortas, de 6 centímetros de ancho y 70 de largo.

1. Antes de unirlos con la cinta, da *dos* medias vueltas (una vuelta entera) a uno de los extremos. Corta por el medio dando toda la vuelta al aro. Si cortaste con cuidado, obtendrás dos aros.

2. Da una media vuelta a uno de los extremos antes de unirlos. Ahora, en vez de cortar por el medio de la cinta, comienza a 2 centímetros del borde de la derecha y sigue cortando hasta dar 2 *vueltas* completas, volviendo al sitio en que comenzaste. Obtendrás dos aros nuevamente, pero el resultado te sorprenderá.

3. Experimenta dando más vueltas a un extremo de la tira y cortando en distintos sitios. ¿Qué supones que sucederá si cortas justo por el medio el aro gigante de 4 metros que obtuvo tu amiga? Inténtalo y verás.

¿¿ 7 × 13 = 28 ??

Tus amigos quedarán completamente confundidos cuando tú "pruebes" ante ellos que $7 \times 13 = 28$.

Materiales

Papel y lápiz

Presentación

Sólo un mago de los números podría probar que $7 \times 13 = 28$.

Aquí hay tres métodos diferentes de hacerlo. Si hablas rápido, podrás engañar a tus amigos.

PRIMER METODO – MULTIPLICACION

$$7 \text{ veces } 3 \text{ es } 21 \text{ y}$$

$$7 \text{ veces } 1 \text{ es } 7.$$

$$21 + 7 = 28$$

Por lo tanto: $7 \times 13 = 28$

$$
\begin{array}{r}
13 \\
\times\ 7 \\
\hline
21 \\
+\ 7 \\
\hline
28
\end{array}
$$

SEGUNDO METODO – DIVISION

7 no "entra" en 2, pero sí "entra" en 8 una vez. Escribe el 1 y resta 7. Eso da 21. 7 "entra" tres veces en 21. Escribe el 3 y resta 21.

$$
\begin{array}{r|l}
28 & 7 \\
7 & 13 \\
\hline
21 & \\
21 & \\
\hline
0 &
\end{array}
$$

Multiplica para comprobar que la división es correcta.

$$\text{Si} \quad 8 \underline{\lfloor\ 2} \quad \text{entonces} \quad 2 \times 4 = 8$$
$$\phantom{\text{Si} \quad 8 \underline{\lfloor\ }} 4$$

$$\text{Por lo tanto, si} \quad 28 \underline{\lfloor\ 7} \quad \text{entonces} \quad 7 \times 13 = 28$$
$$\phantom{\text{Por lo tanto, si} \quad 28 \underline{\lfloor\ }} 13$$

TERCER METODO – SUMA

La multiplicación es una suma repetida, por lo tanto, 7×13 es lo mismo que siete treces sumados.

Sumando hacia arriba la columna de números 3, se obtienen 21. Luego, sumando hacia abajo la columna de números 1, se obtienen 7 más ($21 + 7 = 28$)

Por lo tanto: ¡$7 \times 13 = 28$!

$$
\begin{array}{lrl}
(22) & 13 & (21) \\
(23) & 13 & (18) \\
(24) & 13 & (15) \\
(25) & 13 & (12) \\
(26) & 13 & (\ 9) \\
(27) & 13 & (\ 6) \\
(28) & +13 & (\ 3) \\
\hline
& 28 &
\end{array}
$$

5
PARES E IMPARES

CLIPS EMBRUJADOS
SUMA A CIEGAS
CRÉASE O NO
LA HORA SEÑALADA
PALABRA SECRETA

CLIPS EMBRUJADOS

Dos clips de los usados para sujetar papeles quedan unidos por arte de magia sin que nadie los toque. Y luego, al agregar una banda elástica, los tres quedan encadenados por alguna misteriosa fuerza matemática.

Materiales

4 clips para papeles   Una banda elástica de látex de 7 cm

Una tira de papel de 7 cm por 27 cm

Presentación

Curva la tira de papel formando una S. Luego coloca dos clips del modo que se ve en la figura:

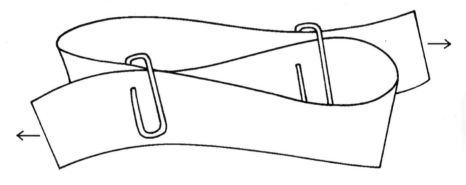

Lentamente, separa los extremos del papel en la dirección de las flechas. Cuando los clips estén a punto de tocarse, tira con más fuerza, y quedarán unidos.

A continuación, coloca la banda elástica alrededor del papel y pon luego los clips, como se ve en la figura:

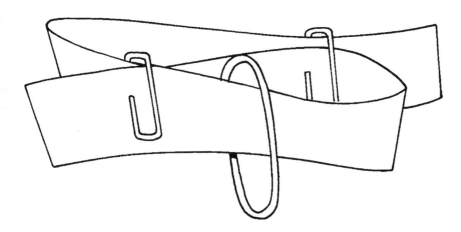

Al separar los extremos de la tira de papel, verás que los clips están encadenados y colgando de la banda elástica, que permanece alrededor del papel.

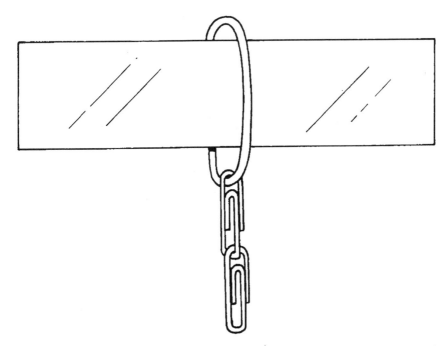

Variantes

Coloca dos clips a cada lado del papel y obtendrás cuatro clips unidos. Prueba otras variantes y observa qué sucede.

En lugar de una tira de papel puedes usar un billete.

SUMA A CIEGAS

Sobre la mesa hay varias tarjetas con sus dos caras numeradas. Cuando tú le das la espalda, alguien las mezcla y da vuelta algunas. Sin mirar, puedes decir cuánto suman los números que están a la vista.

Materiales

5 tarjetas de cartulina o trozos de papel   Lápiz

Una calculadora

Preparación

Escribe un "1" en una de las caras de una tarjeta y un "2" en la otra cara. Del mismo modo, escribe "3" y "4" en la segunda tarjeta, "5" y "6" en la tercera, "7" y "8" en la cuarta y "9" y "10" en la quinta.

Presentación

Entrega a un amigo las cinco tarjetas. Indícale que las mezcle y les dé unas vueltas, y que las vuelva a colocar sobre la mesa después de que tú le des la espalda.

Ejemplo

Pídele que encuentre la suma de los cinco números usando la calculadora.

$$1 + 8 + 4 + 5 + 10 = 28$$

Pregúntale cuántos de los números son impares (o sea, 1, 3, 5, 7, 9). En el ejemplo, tu amigo responderá:

"Hay dos números impares"

Resta mentalmente esta cantidad del "Total Mágico", que es 30, y ya tendrás la suma de los cinco números.

Total Mágico → $30 - 2 = 28$ ← *la suma*

↑

dos números impares

Variantes

Cambiando la cantidad de tarjetas, también cambiará el Total Mágico.

Tarjetas	Números	Total Mágico
6	11 y 12	42
7	13 y 14	56
8	15 y 16	72
9	17 y 18	90
10	19 y 20	110

CREASE O NO

Mientras tú le das la espalda, uno de tus amigos elige una revista al azar, la abre y se concentra en una página. Increíblemente, puedes leer sus pensamientos y describir los que aparece en esa página.

Materiales

10 revistas o libros   Una calculadora

Preparación

Coloca las 10 revistas apiladas sobre la mesa.

Toma la cuarta revista (contando de arriba hacia abajo) y memoriza el contenido de la página 27.

Presentación

Entrega la calculadora a tu amigo, dale la espalda, y pídele que:

	Ejemplo
Ingrese cualquier número entre 1 y 100.	*50*
Sume 28.	*50 + 28 = 78*
Multiplique por 6.	*78 × 6 = 468*
Reste 3.	*468 – 3 = 465*
Divida por 3	*465 ÷ 3 = 155*
Reste 3 más que el número original (50 + 3 = 53).	*155 – 53 = 102*
Sume 8.	*102 + 8 = 110*
Reste 1 menos que el número original (50 – 1 = 49).	*110 – 49 = 61*
Multiplique por 7.	*61 × 7 + 427*

¡El resultado final será siempre 427!

Dile a tu amigo que mire la primera cifra del resultado final y, contando de arriba hacia abajo, saque de la pila la revista que esté en ese lugar. Luego, pídele que mire las últimas dos cifras del resultado final y que abra la revista en ese número de página.

4 27
↑ ↑
revista página

Para terminar, pídele que se concentre en esa página durante 30 segundos. ¡No tendrás problemas para "leer su mente" y describir lo que hay en esa página, pues la estudiaste antes de comenzar el truco!

LA HORA SEÑALADA

Alguien elige mentalmente cualquier hora de un reloj. Después de hacer un poco de magia numérica, el reloj revela la hora en que él está pensando.

Materiales

Un reloj real o dibujado en un papel   Un lápiz

Presentación

Invita a tu amigo a pensar en cualquier hora del reloj sin decírtela. Explícale que, con el lápiz, vas a señalar al azar distintos números del reloj mientras él cuenta hasta 20 mentalmente, empezando por la hora en que pensó y sumando uno cada vez que tú señalas un número.

Ejemplo: El pensó en las 8:00, entonces cuenta 9 cuando señalas el primer número, 10 cuando señalas el segundo, etc.

Cuando llegue a 20 deberá decir "¡Basta!" y el lápiz estará señalando la hora en la cual pensó.

Cómo hacerlo

Mientras tu amigo cuenta hasta 20, tú también vas contando. No importa cuáles son los primeros siete números que señalas, pero *el octavo número siempre debe ser el 12*. A partir de allí, empieza a señalar los números en orden descendente, hasta que tu amigo te detenga.

Ejemplo: Tu amigo eligió la hora 8:00.

El cuenta:	9	10	11	12	13	14	15	16	17	18	19	20 ¡Basta!
Tú cuentas:	1	2	3	4	5	6	7	8	9	10	11	12
Tú señalas:	cualquier número							12	11	10	9	8:00

PALABRA SECRETA

Alguien abre un libro y, en secreto, elige una palabra de cualquier página. Usando un poco de tu magia numérica puedes encontrarla entre los cientos de palabras que hay en el libro.

Materiales

Un libro de 100 o más páginas   Una calculadora
                                    Papel y lápiz

Presentación

Pide a un amigo que abra el libro en cualquier página y anote el número en el papel sin que tú puedas verlo.

Ejemplo
Página 47

Dile que elija *una de las primeras 9 líneas* de esa página y anote el número.

Línea 8

Por fin, pídele que, de esa línea, elija *una de las primeras 9 palabras* y escriba el número de palabra y la palabra.

Palabra 3
MAGIA

Dale la calculadora y pídele que:

69

1. Ingrese el número de página.   **47**

2. Multiplique ese número por 2. $47 \times 2 = 94$

3. Multiplique el resultado por 5. $94 \times 5 = 470$

4. Sume 20 al total. $470 + 20 = 490$

5. Sume a la respuesta el núme-
ro de línea (línea 8). $490 + 8 = 498$

6. Sume 5 a la respuesta. $498 + 5 = 503$

7. Multiplique ese total por 10. $503 \times 10 = 5030$

8. Sume al resultado el número
de palabra (palabra 3). $5030 + 3 = 5033$

Para terminar, pide a tu asistente que te dé la calculadora con el total que obtuvo. Haz unos pases mágicos, resta 250 y podrás encontrar la palabra.

$$5\ 0\ 3\ 3$$
$$-\ 2\ 5\ 0$$

Página $\rightarrow$ $\underline{4\ 7}\ \underline{8}\ \underline{3}$ $\rightarrow$ *Línea*

$\uparrow$

Palabra

Busca la página en el libro, cuenta las líneas y las palabras, y hallarás la palabra elegida (en el ejemplo, MAGIA).

Excepciones

Si el número de la página elegida tiene una sola cifra, tu resultado final tendrá 3 dígitos.

Ejemplo: $\underline{7}$ $\underline{3}$ $\underline{2}$
               pág.   línea   pal.

Si el número de la página elegida tiene tres cifras, tu resultado final tendrá 5 dígitos.

Ejemplo: $\underline{1\ 6\ 3}$ $\underline{9}$ $\underline{5}$
               pág.   línea   pal.

6
DADOS, MONEDAS
Y CALENDARIOS

DADOS RODADOS

LAS 5 MONEDAS

MANOS MAGICAS

UNOS CENTAVOS

¿CUÁL ES LA FECHA?

CALENDARIO HECHIZADO

DADOS RODADOS

A tus espaldas, un amigo arroja tres dados. Con tu magia matemática, puedes descubrir qué tres números salieron.

Materiales

3 dados   Una calculadora

Presentación

Ponte de espaldas y pide a tu amigo que:	*Ejemplo*
Arroje los 3 dados.	*3, 1, 5*
Multiplique por 2 el número de arriba del primer dado, usando la calculadora.	$\underline{3} \times 2 = 6$
Sume 5 al resultado.	$6 + 5 = 11$
Multiplique la respuesta por 5.	$11 \times 5 = 55$
Sume al total el número de arriba del segundo dado.	$55 + \underline{1} = 56$
Multiplique ese resultado por 10.	$56 \times 10 = 560$
Sume el número del tercer dado a la respuesta.	$560 + 5 = 565$
Reste 3 a ese resultado.	$565 - 3 = 562$

Para terminar, pide a tu asistente que te dé la calculadora con el total que obtuvo. Haz unos pases mágicos, resta 247, y aparecerán los números.

$$\begin{array}{r} 5\,6\,2 \\ -\ 2\,4\,7 \\ \hline 3\,1\,5 \end{array}$$

Primer dado → $\underline{3}\,\underline{1}\,\underline{5}$ ← *Tercer dado*

↑

Segundo dado

LAS 5 MONEDAS

En secreto, escribes una predicción antes de comenzar. Luego, un amigo elige cinco números al azar y los suma. Al ver tu predicción, ésta resulta ser igual a la suma.

Materiales

Una calculadora   Papel y lápiz   5 monedas

Preparación

Escribe la siguiente tabla con números en un papel. Hazlos de un tamaño adecuado para poder tapar cada número con una moneda.

6	24	12	18	5
1	19	7	13	0
15	33	21	27	14
4	22	10	16	3
11	29	17	23	10

Presentación

1. Dile a un amigo que vas a hacer una predicción y, sin que él lo vea, escribe lo siguiente en un papel:

La suma de los 5 números que elijas será 72.

Dobla varias veces el papel y déjalo a un lado.

2. Entrega las 5 monedas a tu amigo e invítalo a colocar una sobre cualquier número del cuadro. Luego, dile que tache todos los otros números que estén en la misma fila y en la misma columna que el cubierto por la moneda.

Ejemplo: El coloca una moneda sobre el 7.

6	24	12	18	5
1	19	(7)	13	0
15	33	21	27	14
4	22	10	16	3
11	29	17	23	10

3. Dile que coloque una segunda moneda sobre algún número que no esté tachado y que luego tache todos los otros de la misma fila y de la misma columna.

Ejemplo: El coloca una moneda sobre el 16.

6	24	~~12~~	~~18~~	5
~~8~~	~~19~~	(7)	~~13~~	~~9~~
15	33	~~21~~	~~27~~	14
~~4~~	~~22~~	~~10~~	(16)	~~3~~
11	29	~~17~~	~~23~~	10

4. Dile que haga lo mismo con la tercera y la cuarta monedas, y luego coloque la última sobre el único número que quedó sin tachar.

Ejemplo: El pone la tercera moneda sobre el 11, la cuarta sobre el 33, y la quinta sobre el 5.

~~6~~	~~24~~	~~12~~	~~18~~	(5)
~~8~~	~~19~~	(7)	~~13~~	~~9~~
~~15~~	(33)	~~21~~	~~27~~	~~14~~
~~4~~	~~22~~	~~10~~	(16)	~~3~~
(11)	~~29~~	~~17~~	~~23~~	~~10~~

5. Pídele que use la calculadora para sumar los cinco números que cubrió con las monedas y que diga en voz alta el resultado.

$$7 + 16 + 11 + 33 + 5 = 72$$

(El resultado será siempre 72. Por lo tanto, no repitas este truco con la misma persona.)

Para terminar, despliega el papel con tu predicción y muéstrale que coincide con su resultado.

Variantes

No hagas ninguna predicción y ponte de espaldas a tu amigo mientras le das las instrucciones. Dile que cuando termine de hacer la suma se quede en silencio y se concentre en el resultado. Simula leer su mente y anuncia el total.

MANOS MAGICAS

Alguien oculta una moneda de 10 centavos en una mano y una de 1 centavo en la otra. Con algunas fórmulas mágicas podrás descubrir en cuál de sus manos está cada moneda.

Materiales

Una moneda de 1 centavo y una de 10 centavos

Presentación

Pídele a una amiga que esconda una moneda en cada mano sin que puedas verlas. Dile que multiplique el valor de la moneda de su mano izquierda por 2, 4, 6 u 8, y que luego multiplique el valor de la moneda de su mano derecha por 3, 5, 7 o 9. Luego, pídele que sume los dos resultados y que te diga el Total Final.

Si el Total Final es *impar*, la moneda de 1 centavo está en su mano derecha; si es *par*, es la moneda de 10 centavos la que está en su mano derecha.

Ejemplos

izquierda	derecha		izquierda	derecha
10 ¢	1 ¢		1 ¢	10 ¢
× 4	× 9		× 8	× 7
40 ¢ +	9 ¢		8 ¢ +	70 ¢
49¢ → *impar:*			78¢ → *par:*	
1 centavo en su			*1 centavo en su*	
mano derecha			*mano izquierda*	

UNOS CENTAVOS

Mientras tú le das la espalda, alguien acomoda algunos cen
tavos sobre la mesa. Luego saca algunas monedas y, sin mirar
puedes decir cuántas quedan.

Materiales

20 o 30 monedas de 1 centavo

Presentación

Ponte de espaldas a tu amiga y dile que elija una cantidad
impar de monedas. Indícale que las acomode sobre la mesa for
mando dos filas de modo que en la fila de arriba haya una mone
da más que en la de abajo.

Ejemplo: ella elige 25 monedas.

1	2	3	4	5	6	7	8	9	10	11	12	13
1	2	3	4	5	6	7	8	9	10	11	12	

A continuación, pídele que diga un número mayor que 0 pero
menor que la cantidad de monedas de la fila superior. Dile que
saque esa cantidad de monedas de la fila de arriba.

*Ejemplo: Ella dice "5" (Este es el Número Clave; re
cuérdalo), así que saca 5 monedas de la fila de arriba.*

1	2	3	4	5	6	7	8	X	X	X	X	X
1	2	3	4	5	6	7	8	9	10	11	12	

Pídele que cuente las monedas que quedan en la fila de arri
ba y que saque esa cantidad de la fila de abajo.

*Ejemplo: Quedan 8 monedas arriba, así que ella saca
8 de la fila de abajo.*

1	2	3	4	5	6	7	8	X	X	X	X	X
1	2	3	4	X	X	X	X	X	X			

Por último, dile que retire todas las monedas que hayan quedado arriba. Pídele que cuente cuántas monedas restan en la fila inferior y que se concentre es ese número.

Ejemplo:

X X X X X X X X X X X X

1 2 3 ④ X X X X X X

Sólo resta 1 al Número Clave y podrás "leer su mente" y revelar el número en el cual se ha concentrado.

Número Clave – 1 = Monedas restantes en la fila inferior

Ejemplo: 5 – 1 = ④

¿CUÁL ES LA FECHA?

Mientras tú le das la espalda, alguien marca tres fechas en un calendario, las suma y anuncia el total. En unos segundos, puedes decir cuáles son.

Materiales

Un calendario   Una calculadora

Presentación

Entrega a tu amigo un calendario y deja que elija un mes cualquiera. Dile que marque tres días consecutivos en una fila o en una columna sin que tú puedas ver lo que hace. Por último, pídele que sume las tres fechas y que te entregue la calculadora con el Total Final.

Ejemplos

ABRIL						
D	L	M	M	J	V	S
			1	2	3	4
5	6	7	8	9	10	11
12	13	14	15	⑯	⑰	⑱
19	20	21	22	23	24	25
26	27	28	29	30		

JUNIO						
D	L	M	M	J	V	S
	1	2	3	4	5	6
⑦	8	9	10	11	12	13
⑭	15	16	17	18	19	20
㉑	22	23	24	25	26	27
28	29	30				

$$16 + 17 + 18 = 51 \qquad 7 + 14 + 21 = 42$$

Pregúntale si las tres fechas que marcó son de una misma semana.

Si responde SI:

Divide el Total Final por 3 para obtener la fecha media y, mentalmente, suma y resta 1 para obtener las otras dos.

$$51 \div 3 = 17$$
$$17 + 1 = 18$$
$$17 - 1 = 16$$

Las tres fechas son 16, 17 y 18.

Si responde NO:

Divide el Total Final por 3 para obtener la fecha media y, mentalmente, suma y resta 7 para obtener las otras dos.

$$42 \div 3 = 14$$
$$14 + 7 = 21$$
$$14 - 7 = 7$$

Las tres fechas son 7, 14 y 21.

CALENDARIO HECHIZADO

Haces una predicción secreta antes de que se elijan algunos números. Alguien escoge cuatro fechas de un calendario y las suma. ¡Y tu predicción coincide con el resultado!

Materiales

Un calendario   Una calculadora   Papel y lápiz

Presentación

Entrega a una amiga un calendario y deja que elija un mes cualquiera. Pídele que haga un recuadro encerrando cualquier grupo de dieciséis números que formen un cuadrado de 4 × 4.

Ejemplo

NOVIEMBRE						
D	L	M	M	J	V	S
1	2	3	4	5	6	7
8	9	10	11	12	13	14
15	16	17	18	19	20	21
22	23	24	25	26	27	28
29	30					

Mientras ella dibuja el recuadro, observa las dos fechas de cualquiera de los pares de vértices opuestos (en el ejemplo, 3 y 27 o 6 y 24). Suma un par de fechas y multiplica el resultado por 2.

$$3 + 27 = 30, \text{ y } 30 \times 2 = 60$$

El resultado final es tu predicción. Cuéntale a tu amiga que, mirando el futuro, has visto la suma de las cuatro fechas que ella va a elegir al azar. Escribe tu predicción en un papel sin que ella pueda verla, dobla el papel y déjalo a un lado.

Dile que rodee con una circunferencia uno cualquiera de los números del recuadro, y que tache con una cruz el resto de las fechas que estén en la misma fila y la misma columna.

Ejemplo: Ella marca el 11.

Pídele que rodee con una circunferencia cualquier otra fecha del recuadro que no esté marcada con círculos o cruces, y que tache los números restantes en la misma fila y columna.

NOVIEMBRE						
D	L	M	M	J	V	S
1	2	3	~~4~~	5	6	7
8	9	~~10~~	⑪	~~12~~	~~13~~	14
15	16	17	~~18~~	19	20	21
22	23	24	~~25~~	26	27	28
29	30					

Ella marca el 26.

Dile que siga las mismas instrucciones para elegir una tercera fecha. La cuarta, será el último número que quede sin marcar o tachar.

NOVIEMBRE						
D	L	M	M	J	V	S
1	2	3	~~4~~	~~5~~	6	7
8	9	~~10~~	⑪	~~12~~	~~13~~	14
15	16	17	~~18~~	~~19~~	20	21
22	23	~~24~~	~~25~~	㉖	~~27~~	28
29	30					

Ella marca el 17.

Pídele que sume las cuatro fechas que rodeó con una circunferencia.

NOVIEMBRE						
D	L	M	M	J	V	S
1	2	~~3~~	~~4~~	~~5~~	⑥	7
8	9	~~10~~	⑪	~~12~~	~~13~~	14
15	16	⑰	~~18~~	~~19~~	~~20~~	21
22	23	~~24~~	~~25~~	㉖	~~27~~	28
29	30					

$$11 + 26 + 17 + 6 = 60$$

Para terminar, despliega el papel y muéstrale que tu predicción coincide con su resultado.

7
EXTRA PARA EXPERTOS

EL JOVEN GENIO

Todos pensarán que ya estás listo para emprender estudios superiores cuando vean que sumas mentalmente cinco grandes números en unos pocos segundos.

Materiales

Papel y lápiz   Una calculadora

Preparación

Copia este cuadro en un papel:

A	B	C	D	E
366	345	186	872	756
69	840	582	971	558
168	246	87	575	657
762	147	285	377	954
960	543	483	179	855
564	48	780	674	459

Presentación

Ponte de espaldas y pide a una amiga que elija un número de cada una de las cinco columnas y los anote en un papel. Pídele que sume los cinco números con la calculadora y escriba la respuesta debajo.

Ejemplo

$$762$$
$$246$$
$$483$$
$$674$$
$$+\ 756$$
$$\overline{2.921}$$

Para terminar, pídele que lea lentamente los cinco números en cualquier orden para que puedas ir sumando mentalmente. Tendrás el resultado en segundos.

Cómo hacerlo

Mientras ella lee los cinco números, suma mentalmente las *cinco últimas cifras*.

$$2 + 6 + 3 + 4 + 6 = \underline{21}$$

Resta el resultado de 50.

$$50 - 21 = \underline{29}$$

Pon el segundo resultado delante del primero, ¡y tendrás la suma de los cinco números!

$$\underline{2.9}\underline{21}$$

MEMORIA FOTOGRAFICA

Tus amigos quedarán realmente impresionados cuando les demuestres que puedes memorizar cincuenta números diferentes de 6 y de 7 cifras.

Materiales

50 fichas o tarjetas   Papel y lápiz

Preparación

Copia estos números en las tarjetas (uno en cada una). El número de tarjeta aparece a la izquierda.

1	5.055.055	11	5.167.303	21	5.279.651
2	6.066.280	12	6.178.538	22	6.280.886
3	7.077.415	13	7.189.763	23	7.291.011
4	8.088.640	14	8.190.998	24	8.202.246
5	9.099.875	15	9.101.123	25	9.213.471
6	112.358	16	224.606	26	336.954
7	1.123.583	17	1.235.831	27	1.347.189
8	2.134.718	18	2.246.066	28	2.358.314
9	3.145.943	19	3.257.291	29	3.369.549
10	4.156.178	20	4.268.426	30	4.370.774

31	5.381.909	41	5.493.257
32	6.392.134	42	6.404.482
33	7.303.369	43	7.415.617
34	8.314.594	44	8.426.842
35	9.325.729	45	9.437.077
36	448.202	46	550.550
37	1.459.437	47	1.561.785
38	2.460.662	48	2.572.910
39	3.471.897	49	3.583.145
40	4.482.022	50	4.594.370

Ejemplo

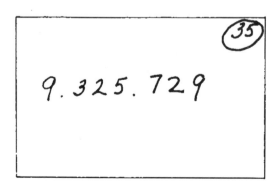

Presentación

Junta las tarjetas formando un mazo, mézclalas como si fueran naipes para demostrar que no están en orden y entrégaselas a una amiga. Dile que en cada una hay un número diferente y que has memorizado los cincuenta números. Pídele que elija una tarjeta cualquiera. Cuando te diga el número de tarjeta, podrás decirle qué número de 6 o 7 cifras hay en ella.

Cómo hacerlo

1. Al número de tarjeta elegida súmale 4 mentalmente e invierte la respuesta. El resultado son los primeros dos dígitos.

Ejemplo: Tarjeta número 35
35 + 4 = 39 y 39 invertido es 93.

2. Para obtener la cifra siguiente, suma mentalmente las dos primeras. Si la suma te da menos de 10, escríbelo. Si te más de 10, escribe sólo la cifra de las unidades.

$$9 + 3 = 1\underline{2} \qquad 93\underline{2}$$

3. Continúa sumando los últimos dos dígitos para obtener el siguiente hasta llegar a 7 dígitos.

$$3 + 2 = \underline{5} \qquad 932\underline{5}$$
$$2 + 5 = \underline{7} \qquad 9325\underline{7}$$
$$5 + 7 = 1\underline{2} \qquad 93257\underline{2}$$
$$7 + 2 = \underline{9} \qquad 932572\underline{9}$$

Respuesta: 9.325.729

Excepciones

Si tu amiga elige una tarjeta cuyo número termina en 6, el número que hay en ella tiene sólo 6 cifras.

Ejemplo: Tarjeta Número 36
36 + 4 = 40, y 40 invertido es 04
El número es 0.448.202 (no digas "cero")

Si elige las tarjetas del 1 al 5, pon un cero mentalmente en el lugar de las decenas antes de invertir el resultado.

Ejemplo: Tarjeta Número 3
        3 + 4 = 7, y 07 invertido es 70
        El número es 7.077.415

Variante

Puedes hacer que el truco funcione al revés. Pide a tu amiga que elija una tarjeta y te diga qué número de 6 o 7 cifras hay en ella. Cuando lo haga, sólo invierte las dos primeras cifras y resta 4.

Ejemplo: El número es 1.235.831
        12 invertido es 21, y 21 – 4 = 17
        Ella eligió la tarjeta número 17

Una excepción a esta variante

Si tu amiga te da un número de 6 cifras, pon un cero mentalmente en el primer lugar.

Ejemplo: El número es 336.954 (o sea, 0.336.954)
        03 invertido es 30, y 30 – 4 = 26
        Ella eligió la tarjeta número 26

EL PODER DE LA MENTE

Todos pensarán que eres un prodigioso mago de los números cuando halles la suma de diez números en unos pocos segundos.

Materiales

Papel y lápiz   Una calculadora

Preparación

Escribe los números de 1 a 10 en un papel, uno debajo del otro.

Presentación

1. Pide a un amigo que escriba cualquier número de una cifra en la primera línea y otro distinto, también de una cifra, en la segunda línea.

2. Dile que sume ambos números y anote el resultado en la tercera línea.

$$5 + 9 = 14$$

3. Que sume la segunda línea con la tercera, y anote el resultado en la cuarta línea.

$$9 + 14 = 23$$

4. Dile que continúe sumando de este modo hasta tener una lista de diez números. Asegúrate de que haya sumado correctamente. Cada número de la lista (excepto los dos primeros) debe ser la suma de los dos anteriores.

Ejemplo
5 y 9

1. *5*
2. *9*
3. *14*
4. *23*
5. *37*
6. *60*
7. *97*
8. *157*
9. *254*
10. *411*

Cuando él escriba el último número, mira rápidamente la lista y simula que estás sumando mentalmente. Sin que pueda ver lo que escribes, anota tu respuesta en un papel aparte, dóblalo varias veces y déjalo a un costado. Pide a tu amigo que sume lentamente los diez números usando la calculadora.

(Ejemplo: 1.067)

Se sorprenderá cuando despliegues el papel y tu respuesta coincida con la suya.

Cómo hacerlo

Cuando diez números son sumados de este modo,

Resultado Final = el séptimo número × 11

Cuando mires la lista de tu amigo, fíjate sólo en el séptimo número. Multiplícalo por 11 en tu papel para tener el Resultado Final.

Hay un modo muy rápido para multiplicar por 11:

Multiplica el séptimo número por 10. *(97 × 10) 970*

Suma el séptimo número a ese total. *+ 97*

1.067

Tacha la cuenta para que tu amigo no descubra tu secreto. Haz como si hubieras subrayado tu respuesta.

Variante

Comienza con números de 2 cifras para que el truco resulte realmente sorprendente.

UN POLVILLO MISTERIOSO

Tú y tus amigos escriben cinco números de 4 cifras y los suman con una calculadora. Cuando espolvoreas tu polvillo mágico secreto sobre un trozo de plástico, por arte de magia aparece la respuesta correcta.

Materiales

Papel y lápiz   Una calculadora

Pegamento en barra   Canela en polvo

Cualquier trozo de plástico blanco, como la tapa de algún recipiente

Preparación

Pon una pequeña cantidad de canela o alguna otra especia oscura en un pequeño recipiente. Este es el polvillo misterioso.

Con la barra de pegamento escribe cualquier número mayor que 20.000 y menor que 30.000 sobre el trozo de plástico.

Ejemplo: 23.156

Este es el Total Final. El número no debe verse, pero tiene que mantenerse pegajoso.

Calcula tu *Número Clave*. Primero, suma 2 al Total Final y luego ten en cuenta sólo los últimos 4 dígitos

$$
\begin{array}{r}
\mathit{23.156} \\
+ \quad \mathit{2} \\
\hline
\mathit{23.158} \\
\textbf{\textit{Número Clave}}
\end{array}
$$

Presentación

1. Pide a un amigo que escriba un número de 4 cifras en un papel. Las cifras deben ser diferentes y no pueden ser consecutivas.

2. Anota tu *Número Clave*.

3. Di a tu amigo que escriba otro número de 4 cifras bajo el tuyo.

4. Escribe un número de 4 cifras de modo que, con el primero de la lista, sumen 9.999.

5. Escribe otro número de 4 cifras de modo que, con el tercer número de la lista, sumen 9.999.

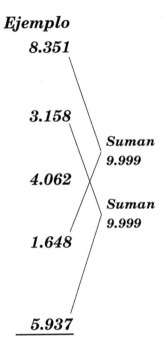

Ejemplo

8.351

3.158

4.062

1.648

5.937

*Suman
9.999*

*Suman
9.999*

Entrega el papel a tu amigo y dile que sume los cinco números usando la calculadora.

(23.156)

Echa tu polvillo misterioso sobre el plástico. Pronuncia algunas palabras mágicas, sopla el exceso de polvo y, por arte de magia, aparecerá el Total Final.

Una excepción

El primer dígito del primer o del tercer número que pone tu amigo es un 9.

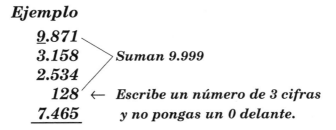

Ejemplo

9.871
3.158 ⟩ *Suman 9.999*
2.534
128 ← *Escribe un número de 3 cifras*
7.465   *y no pongas un 0 delante.*

¿ALGUIEN HA VISTO UN FANTASMA?

Puedes hacer este truco para un grupo de amigos o familiares. Se pone una predicción dentro de una caja de zapatos y se suman tres números elegidos al azar usando una calculadora. Al abrir la caja, tu predicción incorrecta ha sido misteriosamente tachada y reemplazada por el número correcto.

Materiales

Una calculadora

Marcador

Una pequeña libreta de apuntes con espiral, de papel blanco (o con ambas caras iguales)

Una caja de zapatos

Una tarjeta

Lápiz

Preparación

1. Escribe cualquier número de 4 cifras en la tarjeta con un marcador y luego táchalo. Esta es tu predicción. Escribe otro número de 4 cifras entre 1.000 y 2.000, debajo del primero. Hazlo de manera que parezca "escrito por un fantasma". Coloca la tarjeta boca abajo sobre la mesa.

2. Abre la libreta por el medio y escribe tres números de 3 cifras uno bajo el otro. Haz que parezcan escritos por tres personas diferentes. La suma de estos números deberá ser igual al número de la "predicción del fantasma" que pusiste en la tarjeta. Coloca la libreta sobre la mesa de modo que no se vea lo que está escrito.

```
526
847
470
```

Realización

Entrega la calculadora a un amigo que esté en el fondo de la habitación y dile que más tarde necesitarás su ayuda.

Muestra a todos que la caja de zapatos está vacía y coloca en ella tu predicción y el marcador. Tapa la caja y dásela a tu amigo para que la sostenga.

Pide a otro amigo que se acerque a la mesa y escriba un número de 3 cifras en la página en blanco de la libreta. Repite esto con otros dos amigos más. No dejes que nadie dé vuelta la libreta.

Cuando ya esté escrito el tercer número, toma la libreta y entrégasela al amigo que tiene la calculadora. Mientras vas caminando hacia donde está él, *da vuelta la libreta sin que nadie lo note.* Muestra a tu amigo *los tres números que tú anotaste* y pídele que los sume con la calculadora, Cierra la libreta cuidando que nadie pueda ver lo que mostraste a tu amigo y pídele que diga el resultado en voz alta.

Cuando lo haga, muéstrate contrariado y admite que la predicción que pusiste en la caja es incorrecta. Cuenta una historia acerca de un fantasma que es tu amigo y explica que él va a ayudarte con este truco. Invoca a tu amigo invisible y pídele que entre a la caja, tome el marcador, tache tu predicción y escriba debajo la respuesta correcta. Repite la respuesta una vez más y pide a tu amigo que saque la tarjeta de la caja. Para sorpresa de todos, tu asistente fantasmagórico te ha salvado escribiendo el resultado correcto bajo tu predicción.

LA COMPUTADORA HUMANA

Puedes dejar atónitos a todos sumando cinco números de 6 cifras en pocos segundos.

Materiales

Papel y lápiz   Una calculadora

Presentación

1. Pide a un amigo que escriba un número de 6 cifras en un papel. Las cifras deben ser diferentes y no pueden ser consecutivas.

2. Dile que escriba un segundo número de 6 cifras bajo el primero.

3. Pídele que escriba un número más. Este nuevo número es tu *Número Clave*.

4. Escribe un número de 6 cifras de modo que, con el primero de la lista, sumen 999.999.

5. Escribe otro número de 6 cifras de modo que, con el segundo número de la lista, sumen 999.999.

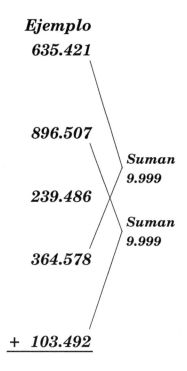

Ejemplo
635.421

896.507

239.486

364.578

+ 103.492

Suman
9.999

Suman
9.999

Entrega el papel a tu amigo y dile que sume los cinco números usando la calculadora sin mostrarte el total Final.

(2.239.484)

Pídele que te devuelva el papel. Simula que estás sumando mentalmente los cinco números y escribe rápidamente el Total Final.

Cómo hacerlo

Cuando tu amigo te entregue el papel, sólo mira el *Número Clave*, ya que el Total Final = 2._____.

(Número Clave – 2)

Ejemplo:

El número Clave es 239.486
(Número Clave menos 2) = 239.484

Total Final = 2.<u>239.484</u>

Una excepción

El primer dígito del primer o del segundo número que pone tu amigo es un 9.

Ejemplo

<u>9</u>56.231 ⟍
623.178 ⟩ *Suman 999.999*
279.651 ╱
   43.768 ╱ ← *Escribe un número de 5 cifras*
<u>376.821</u>   *y no pongas un 0 delante.*

Variantes

Siete números de 6 cifras:

Total Final = 3._____.

                    (Número Clave – 3)

Nueve números de 6 cifras:

Total Final = 4._____.

                    (Número Clave – 4)

INDICE